JIM DAVIS

FAIT BOULE DE NEIGE

DARGAUD
EDITEUR
PARIS · BARCELONE · BRUXELLES · LAUSANNE · LONDRES · MONTREAL · NEW YORK · STUTTGART

Traduction de Anthéa Shackleton

Dépôt légal : Octobre 1992
ISBN 2-205-04143-6
ISSN 0758-5136

Publié par DARGAUD ÉDITEUR

Imprimé en France en septembre 1992 par Clerc S.A. - 18200 Saint-Amand
Printed in France

DIS, GARFIELD... IL Y A DU FROMAGE ?
OUI... EN VERT OU EN MARRON FONCÉ ?

IL EST PEUT-ÊTRE TEMPS QUE JE VIDE LE FRIGO.
IMPOSSIBLE ! CETTE NOURRITURE A UNE ÉNORME SIGNIFICATION HISTORIQUE !
© 1989 United Feature Syndicate, Inc

PRENDS CETTE VINAIGRETTE, PAR EXEMPLE... ELLE A SERVI DE DÉSINFECTANT PENDANT LA GUERRE CIVILE.
JIM DAVIS
7-3

JIM DAVIS

JE ME DEMANDE SI CE CLOU EST IMPORTANT.
© 1989 United Feature Syndicate, Inc.

7-4

VOUS PESEZ SIX KILOS.
JIM DAVIS

VOUS PESEZ ZÉRO KILOS.
© 1989 United Feature Syndicate, Inc.

COMMENT ÇA VA CÔTÉ POIDS, GARFIELD ?
BOF... UNE MOYENNE DE TROIS KILOS.
7-5

OUAF ! OUAF !
OUAF !
OUAF !
OUAF !
JIM DAVIS

HMM... OUAF, OUAF, OUAF.
© 1989 United Feature Syndicate, Inc.

GROUAF !
RROUAF !
GROUAF ! ROF !
ROUAF !
JE LUI AI DIT "TA MÈRE EST UN SAC À PUCES".
7-6

J'AIME L'HUMOUR AU SECOND DEGRÉ.

RAPPORTE, ODIE.
© 1989 United Feature Syndicate, Inc.

BONK!
REGARDER UN CHIEN SE COGNER CONTRE UN MUR, PAR EXEMPLE.
JIM DAVIS

HÉ, ODIE! NA, NA, NA, NA, NA, NAAA!
7-8

SLURP!
© 1989 United Feature Syndicate, Inc.

VET
AU SUIVANT.
JIM DAVIS

LÈVE-TOI, GARFIELD... ON VA À LA FERME...

D'AC... TU ME TROUVERAS DEHORS...
© 1989 United Feature Syndicate, Inc.

... EN TRAIN DE DÉGONFLER TES PNEUS...
JIM DAVIS
7-10

SALUT, L'AVORTON... ÇA VA?
NE M'APPELLE PAS L'AVORTON!

OH, DÉSOLÉ. HMMM... COMMENT JE T'APPELAIS AUTREFOIS?
© 1989 United Feature Syndicate, Inc.

AH, OUI! SALUT, TÊTE DE GUIMAUVE, ÇA VA?
APPELLE-MOI L'AVORTON.
JIM DAVIS
7-11

QUEL CALME !
OUAIP !... ÇA A TOUJOURS ÉTÉ COMME ÇA, ET ÇA NE CHANGERA PAS. ICI, ON PREND SON TEMPS.

À LA SOUPE !
© 1989 United Feature Syndicate, Inc.

JIM DAVIS 7-12

VOUS ADMIREZ LE PAYSAGE, LES GARS ?
C'EST ÇA, P'PA.
JIM DAVIS

J'PEUX ME JOINDRE À VOUS ?
BIEN SÛR, P'PA.
© 1989 United Feature Syndicate, Inc.
7-13

FAUDRA PERDRE QUELQUES KILOS, LES GARS.
T'AS RAISON, P'PA

GARFIELD, ÇA, C'EST UN COCHON.

LE COCHON MANGE ABSOLUMENT DE TOUT.
JE SUIS AU COURANT.
© 1989 United Feature Syndicate, Inc.
JIM DAVIS

ON SE TÉLÉPHONE ET ON FAIT UNE BOUFFE ?
7-14

REGARDE CES COCHONS, GARFIELD.

ILS NE FONT QUE MANGER ET DORMIR.
© 1989 United Feature Syndicate, Inc.

SORS DE LÀ !
GROÏK, GROÏK.
JIM DAVIS 7-15

3

MA VIE EST REMPLIE DE DÉTAILS PASSIONNANTS...

UN DEMI MILLIMÈTRE HIER SOIR, GARFIELD !
FÉLICITATIONS, JON.
© 1989 United Feature Syndicate, Inc.

QU'EST-CE QU'ILS POUSSENT, SES ONGLES DES DOIGTS DU PIED !
7-31

GARFIELD, JE NE PEUX PLUS TE GRATTER... J'AI UNE CRAMPE DANS LA MAIN.
NO PROBLÈME.

PLOC
© 1989 United Feature Syndicate, Inc.

8-1

J'ADORE JOUER LES "CORDONS-BLEUS", GARFIELD.
SI ÇA NE BOUGE PAS, JE LE MANGERAI.
8-2

FAUT AVOIR DE L'IMAGINATION...
MÊME SI ÇA BOUGE UN PEU, JE LE MANGERAI
© 1989 United Feature Syndicate, Inc.

JE N'ARRIVE PAS À FOURRER LE PÂTE DANS LA CROÛTE...
TANT PIS... MÊME S'IL SE DÉBAT, JE LE MANGERAI.

NYAH, NYAH, NYAH ! J'SUIS À L'INTERIEUR, ET TOI, T'ES DEHORS !

SLURP!
8-12
© 1989 United Feature Syndicate, Inc.

JE ME DISAIS QUE CETTE FENÊTRE AVAIT L'AIR TROP PROPRE !

GARFIELD, EST-CE QUE JE SUIS TROP GROS ?
JIM DAVIS

NE SOIS PAS RIDICULE !
© 1989 United Feature Syndicate, Inc.

ME VOILÀ SOULAGÉ.
8-4

LE FRIGO A ENCORE BESOIN D'ÊTRE NETTOYÉ !?
IL Y A DES CHAMPIGNONS SUR LE PÂTÉ...
JIM DAVIS
8-8

CES RESTES SONT VRAIMENT LÀ DEPUIS SI LONGTEMPS QUE ÇA !?
VA FALLOIR TONDRE LES HARICOTS...
© 1989 United Feature Syndicate, Inc.

ILS SONT SI VIEUX QUE ÇA !?
IL Y A UNE TÊTE DE FLÈCHE DANS LE CHILI CON CARNE !

VOYONS VOIR... QUE DIT MON HOROSCOPE CE MATIN ?
7-24

"UNE VISITE SURPRISE RISQUE DE VOUS IRRITER".
© 1989 United Feature Syndicate, Inc.

BALIVERNES... COMME D'HABITUDE.
JIM DAVIS

TIENS, DONC... REVOILÀ NERMAL, LE CHATON LE PLUS MIGNON DU MONDE.
LUI-MÊME.

DIS-MOI, COMMENT ÇA SE FAIT QUE... BEN... QUE...
...QUE JE SUIS RESTÉ JEUNE ET BEAU TANDIS QUE TOI, TU RESSEMBLES À UN VIEUX MELON...
© 1989 United Feature Syndicate, Inc.

ARRRGH !
SI TU VEUX T'EN SORTIR INDEMNE, FAUT FRAPPER TRÈS FORT...
JIM DAVIS
7-25

TU SAIS, J'AIMERAIS BIEN VOIR MA TÊTE SUR UN CALENDRIER...
7-26

ÇA PEUT S'ARRANGER.
C'EST VRAI !?
© 1989 United Feature Syndicate, Inc.

JIM DAVIS

JIM DAVIS

© 1989 United Feature Syndicate, Inc.

ÇA MARCHE ?
JE N'AI PAS ENCORE BIEN PIGÉ LE TRUC.
7-27

CE SONT TES RIDES QUI T'INQUIÈTENT, GARFIELD ?
JIM DAVIS

N'OUBLIE PAS, LES RIDES ARRIVENT QUAND LES SOURIRES S'EN VONT.
© 1989 United Feature Syndicate, Inc.

T'AS DÛ BIEN T'AMUSER JADIS !
TOI, FERME-LÀ !
7-28

Z
© 1989 United Feature Syndicate, Inc.

STOMP
ZINNNG!!

IL N'A MÊME PAS DIT "AU REVOIR"
JIM DAVIS
7-29

J'Y SUIS ARRIVÉ !
JIM DAVIS

© 1989 United Feature Syndicate, Inc.

J'AI FAIT ENTRER UN PAIN ENTIER DANS MA BOUCHE !
FÉLICITATIONS, GARFIELD.
7-17

TIENS, TIENS... TE VOILÀ ORNITHOLOGUE...
7-19

JE VOIS QUE T'AS TOUT... TON GUIDE, TES JUMELLES ET TA POÊLE. AMUSE-TOI BIEN !
© 1989 United Feature Syndicate, Inc.

UNE POÊLE ?!
JE TE GARDERAI UNE CUISSE.
JIM DAVIS

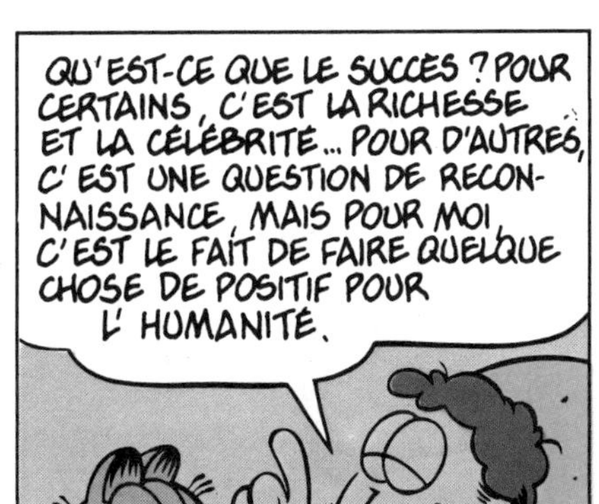
QU'EST-CE QUE LE SUCCES ? POUR CERTAINS, C'EST LA RICHESSE ET LA CÉLÉBRITÉ... POUR D'AUTRES, C'EST UNE QUESTION DE RECONNAISSANCE, MAIS POUR MOI C'EST LE FAIT DE FAIRE QUELQUE CHOSE DE POSITIF POUR L'HUMANITÉ.

JIM DAVIS 7-7
ET POUR TOI, GARFIELD ?
© 1989 United Feature Syndicate, Inc.

ÊTRE CAPABLE DE MANGER 20 PIZZAS SANS VOMIR.
J'AURAIS DÛ M'EN DOUTER.

VOICI UN TRUC POUR LES FINS GOURMETS.

SI VOUS DÎNEZ EN VILLE...
© 1989 United Feature Syndicate, Inc.

NE RESTER JAMAIS DEBOUT DANS UNE PIZZA CHAUDE.
JIM DAVIS
8-5

VIENS DÉJEUNER, GARFIELD.

NE LE TOUCHE PAS... IL GARDE MA PAGE.

Z

ÇA TE PLAIRAIT D'ÊTRE MORDU PAR UN BUTOIR DE PORTE, MEC ?

POUR CEUX D'ENTRE-VOUS QUI S'INTERROGERAIENT, JE NE DORS QU'À MOITIÉ.

Z

Z

BÔINGG!"
Z

ALLEZ, GARFIELD... C'EST L'HEURE DE LA GYMNASTIQUE !
8-9

J'AI DE LA MUSIQUE PLEIN LES OREIL... LES.
© 1989 United Feature Syndicate, Inc.

ALLEZ, GARFIELD...
J'AI MA HERNIE QUI SE RÉVEIL... LE.
JIM DAVIS

BIEN... MAINTENANT, QUELQUES MOUVEMENTS POUR MUSCLER LES CUISSES... ON Y VA !

ET UN ... ET...
© 1989 United Feature Syndicate, Inc.

CLICK
DEUX.
9-4
JIM DAVIS

ARRRRGH!

JE SUIS POURSUIVI PAR UN SERPENT EN MANTEAU DE FOURRURE !
© 1989 United Feature Syndicate, Inc.

C'EST TA QUEUE...
J'SUIS AU COURANT.
JIM DAVIS
9-5

JE SUIS DEVENU AVEUGLE !!
JIM DAVIS
9-6

GARFIELD, TU AS TA COUVERTURE SUR LES YEUX.
© 1989 United Feature Syndicate, Inc.

J'SUIS AU COURANT.
IL M'INQUIÈTE PARFOIS, CELUI-LÀ.

GARFIELD ! IL FAIT CHAUD ET HUMIDE ! C'EST PARFAIT... ON Y VA !?
JIM DAVIS

JE VEUX ÊTRE AU PREMIER RANG !
© 1989 United Feature Syndicate, Inc.
9-14

SILENCE, ON REGARDE SE GONDOLER LE LINOLÉUM...

JE ME DEMANDE QUELLE HEURE IL EST...

HMMMM...
© 1989 United Feature Syndicate, Inc.

AU TOUCHER C'EST L'HEURE DU P'TIT DÉJ.
9-18
JIM DAVIS

CLICK

WHÔÇK !
9-19
JIM DAVIS
© 1989 United Feature Syndicate, Inc.

ZUT... C'EST CELUI DE LA PORTE DU GARAGE !

JON M'A MIS UNE CLOCHETTE AUTOUR DU COU...

IL PENSE QU'ELLE VA M'EMPÊCHER DE COURIR APRÈS LES OISEAUX...
© 1989 United Feature Syndicate, Inc.

IL A PEUT-ÊTRE RAISON.
9-7
JIM DAVIS

GARFIELD, CETTE BOÎTE EST À TOI ?
OUAIP.

ELLE EST PLEINE DE CASQUETTES DE FACTEUR !
J'EN FAIS COLLECTION.
9-20
© 1989 United Feature Syndicate, Inc.

OÙ SONT LES FACTEURS ?
ILS SE SONT ÉCHAPPÉS !

ET MAINTENANT, JE VAIS VÉRIFIER DE FAÇON SCIENTIFIQUE SI OUI OU NON, LES CHIENS ATTERRISSENT SUR LES PATTES...

BLOONG
9-21
© 1989 United Feature Syndicate, Inc.

JE DÉTESTE MANGER AU LIT...

IL Y A CERTAINEMENT UNE EXPLICATION HAUTEMENT PSYCHOLOGIQUE POUR ÇA...
GARFIELD
© 1989 United Feature Syndicate, Inc.

OU C'EST PEUT-ÊTRE PARCE QUE JE SUIS ALLONGÉ SUR MA FOURCHETTE.
GARFIELD
9-22

PARFOIS, J'AIME BIEN ME LEVER TÔT POUR FAIRE DES CHOSES...

AARRRGGH!
© 1989 United Feature Syndicate, Inc.

COMME METTRE LE BAC À LITIÈRE À CÔTÉ DU LIT DE JON...
9-23

IL EST 5 H. DU MAT, GARFIELD... L'IDÉAL POUR FAIRE DU JOGGING.

OUAH!
© 1989 United Feature Syndicate, Inc.

Z
DES BÊTISES COMME ÇA, ÇA FAIT TOUJOURS LONG FEU...
JIM DAVIS
9-9

QUAND ON S'ENNUIE, IL FAUT CHANGER QUELQUECHOSE...
JIM DAVIS
9-16

REGARDEZ, JON, PAR EXEMPLE...
© 1989 United Feature Syndicate, Inc.

EN VOILÀ UN QUI NE S'ENNUIERA PLUS...

DIS DONC, CE N'EST PAS LA BONNE HUMEUR QUI T'ÉTOUFFE CE MATIN !
NON... C'EST LE RÉGIME.
JIM DAVIS
9-25

J'AI TOUJOURS CRU QUE LES GROS ÉTAIENT DES GENS HEUREUX.
C'EST LE CAS QUAND ILS NE SONT PAS AU RÉGIME.

ALLEZ... UN PETIT SOURIRE !
BON, SI TU INSISTES.
© 1989 United Feature Syndicate, Inc.

UNE FRITE ... JE N'AI DROIT QU'À UNE FRITE.
JIM DAVIS
9-26

D'APRÈS JON, LES RÉGIMES RENDENT EUPHORIQUES...

VA FALLOIR QUE CETTE FRITE ME RACONTE UNE BONNE BLAGUE, ET VITE.
© 1989 United Feature Syndicate, Inc.

N'OUBLIEZ PAS, QUAND VOUS PRÉPAREZ UN POULET...
JIM DAVIS

© 1989 United Feature Syndicate, Inc.
TOUT SE MANGE !...
9-27

GRILLÉES, LES PATTES FONT DE SAVOUREUX AMUSE-GUEULES.
ENFIN, QUELQUE CHOSE QUI ME COUPE L'APPÉTIT !

COMMENT VA LE RÉGIME, GARFIELD ?
BOF... ÇA VA.
JIM DAVIS

© 1989 United Feature Syndicate, Inc.
JE SUIS FIER DE TOI !
EUH... MERCI.

MAIS QU'EST-CE QUE TU FABRIQUES ?
JE LÈCHE LE GRIL...
9-28

GARFIELD, TU AS ÉTÉ TELLEMENT SAGE QU'UN PETIT ÉCART À TON RÉGIME NE TE FERAIT PAS DE MAL.

VOICI UNE DEUXIEME FRITE !
© 1989 United Feature Syndicate, Inc.

QU'EST-CE QU'IL LUI A PRIS !?
JIM DAVIS
9-29

J'AI LA DALLE... FAUT QUE JE TROUVE UN COUPE-FAIM.
9-30

© 1989 United Feature Syndicate, Inc.

LES RESTES DE JON FONT TOUJOURS TRÈS BIEN L'AFFAIRE.
JIM DAVIS

IL EN FAUT POUR TOUS LES GOÛTS ET TOUTES LES COULEURS...
10-4

JIM DAVIS
© 1989 United Feature Syndicate, Inc.

POUR JON, CE SERAIT PLUTÔT D'ÉGOUT ET DES COULEURS...

VOICI TON DÎNER, GARFIELD.
ET SI TU LE SERVAIS AVEC LE SOURIRE ?
RFIELD
JIM DAVIS
© 1989 United Feature Syndicate, Inc.

GARFIELD

ÇA SENT LE TRAQUENARD...
GARFIELD
10-5

OÙ EST PASSÉ MA BROSSE À DENTS ?
© 1989 United Feature Syndicate, Inc.

MERCI.
JIM DAVIS

FROTTE FROTTE FROTTE
ÇA FAIT TELLEMENT PLAISIR DE RENDRE SERVICE !
10-6

EST-CE QUE C'EST L'HEURE DE MON GOÛTER DE MINUIT ?
10-7

HMMM... HUIT HEURES DU SOIR...
© 1989 United Feature Syndicate, Inc.

AVEC UN PETIT EFFORT...
JIM DAVIS

14

L'ART, C'EST MA VIE...
JIM DAVIS

VOILÀ...
© 1989 United Feature Syndicate, Inc.
9-8

JE PENSE QUE JE VAIS L'INTITULER " PAS D'ÉCUREUIL PROVENANT D'UN PLAT DE LASAGNE VIDE "...

VOUS VOULEZ RENDRE VOS REPAS PLUS INTÉRESSANTS ?
RFIELD
JIM DAVIS
9-15

JETEZ VOTRE NOURRITURE SUR LA TABLE...

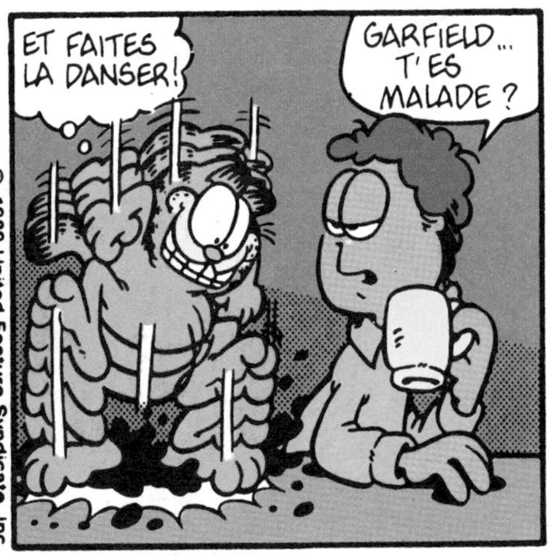
ET FAITES LA DANSER !
GARFIELD... T'ES MALADE ?
© 1989 United Feature Syndicate, Inc.

REGARDEZ LE CIEL ! C'EST UN AVION ! C'EST UN OISEAU !

NON ! C'EST...
CHTOC !
© 1989 United Feature Syndicate, Inc.

SUPER POOKIE !
JIM DAVIS
10-9

JE ME SENS EN SÉCURITÉ QUAND POOKIE PASSE LA NUIT LÀ...
10-10

IL EST TELLEMENT DOUX...
© 1989 United Feature Syndicate, Inc.

DE PLUS, IL EST CEINTURE NOIRE DE KARATÉ !
JIM DAVIS

GLOUP!
ZIP
JIM DAVIS
10-11

BING!
© 1989 United Feature Syndicate, Inc.

VILAIN POOKIE !
ZIP

AU POIL !
© 1989 United Feature Syndicate, Inc.

JIM DAVIS
10-12

SNIFF
SNIFF
SNIFF
SNIFF
JIM DAVIS
10-13

PLOP

© 1989 United Feature Syndicate, Inc.

TRÈS DRÔLE, GARFIELD... MAIS TU NE VAS PAS ME FAIRE CROIRE QUE TON NOUNOURS FAIT DU PATIN !

PLAÎT-IL ?
© 1989 United Feature Syndicate, Inc.
JIM DAVIS
10-14

AVEC LES CHIENS C'EST FACILE, MAIS AVEC TOI JE N'ARRIVE PAS À SAVOIR SI T'ES CONTENT OU NON...
C'EST FACILE...
JIM DAVIS

BON POIL
© 1989 United Feature Syndicate, Inc

MAUVAIS POIL
12-8

GARFIELD ! RÉVEILLE-TOI !
12-9

AH, NON... PAS ÇA ! JE ME SUIS ENCORE ENDORMI DANS L'ANGLE !
© 1989 United Feature Syndicate, Inc.

ALLEZ-Y... FENDEZ-VOUS LA PÊCHE. ÇA NE VOUS EST JAMAIS ARRIVÉ ?
JIM DAVIS

QU'EST-CE QUE C'EST MOCHE, UN LUNDI.

GARFIELD, ON PART FAIRE DU CAMPING !!
© 1989 United Feature Syndicate, Inc.

QU'EST-CE QUE C'EST MOCHE, UN LUNDI.
JIM DAVIS
8-14

C'EST CHOUETTE, LE CAMPING.

ON DEVRAIT FAIRE DES CHOSES ENSEMBLE PLUS SOUVENT.
© 1989 United Feature Syndicate, Inc.
17

UN... DEUX... TROIS... TOUT LE MONDE VOMIT.
JIM DAVIS 8-15

TIENS... C'EST QUOI, CE PETIT BOUT DE PLASTIQUE ?

SCREEEEEEEEE
THONK
JIM DAVIS 8-16
© 1989 United Feature Syndicate, Inc.

C'EST LE FREIN À MAINS.

ON VA SE PASSER DE DÉJEUNER, LES GARS...

JE NE TROUVE PAS DE RESTAURANT.
© 1989 United Feature Syndicate, Inc.

HÉ!
JE SUIS SUR UNE PISTE !
JIM DAVIS 8-17

QU'EST-CE QU'ON S'AMUSE ! JE SENS QUE RIEN NE VA GÂCHER CES VACANCES.

BUMP!
JIM DAVIS 8-18
© 1989 United Feature Syndicate, Inc.

FÉLICITATIONS... TU VIENS D'ÉCRASER UNE VACHE.

ET SI ON SE DÉTENDAIT UN PEU LES JAMBES, LES MECS...

JIM DAVIS 8-19
© 1989 United Feature Syndicate, Inc.

TU VIENS !?
PASSE-MOI LES CLEFS... J'AI ENVIE D'ÉCOUTER LA RADIO.

NOUS Y VOILÀ, ENFIN ! C'EST GÉNIAL, NON ?
NON.

LA TENTE EST GÉNIALE, LA VUE EST GÉNIALE... TOUT EST GÉNIAL.
IL MANQUE QUELQUECHOSE.
JIM DAVIS 8-21
© 1989 United Feature Syndicate, Inc.

MAINTENANT C'EST GÉNIAL.

LA PLUIE VA S'ARRÊTER UN JOUR. IL FAUT PRENDRE LES CHOSES DU BON CÔTÉ.
JE SUIS COMPLÈTEMENT TREMPÉ.
JIM DAVIS

HEY!
8-22
© 1989 United Feature Syndicate, Inc.

IL Y A UNE TRUITE DANS MON SAC À DOS!
FAUT PRENDRE LES CHOSES DU BON CÔTÉ, JON.

GARFIELD, IL RESTE DES CHOSES À GRIGNOTER DANS LA VOITURE.
QU'EST-CE QUE TU ESSAIES DE ME DIRE, JON ?
JIM DAVIS

VA LES CHERCHER.
J'Y VAIS DE CE PAS.
8-23
© 1989 United Feature Syndicate, Inc.

LE BOIS VA ÊTRE MOUILLÉ, GARFIELD. VA LE CHERCHER.
ÇA VA PAS.

J'AI DIT VA LE CHERCHER !
D'ACCORD D'ACCORD.
8-24
© 1989 United Feature Syndicate, Inc.
19

VOT' BOIS, BWANA.
OUPS.

VA VOIR S'IL PLEUT TOUJOURS, GARFIELD.
À VOS ORDRES, SAHIB.

BONNE NOUVELLE... IL NE PLEUT PLUS.
© 1989 United Feature Syndicate, Inc.
8-25
JIM DAVIS

IL NEIGE.

HÉ! IL NE PLEUT PLUS.
JIM DAVIS 8-26

PROFITONS-EN VITE!
© 1989 United Feature Syndicate, Inc.

TU VOIS, ODIE... LES TROTTOIRS SERVENT QUAND MÊME À QUELQUE CHOSE.

JE RÊVE... DEUX SEMAINES DANS CETTE TENTE AVEC JON ET ODIE AUX FINS FONDS DE NULLE PART.
8-28

SI JE NE PARLE PAS AVEC QUELQU'UN D'AUTRE BIENTÔT, JE VAIS DEVENIR BARJOT.
© 1989 United Feature Syndicate, Inc.

T'AS UN BON LIVRE À ME RECOMMANDER, PIERRE ?
JIM DAVIS

VA VÉRIFIER QU'IL N'Y A PAS D'OURS DANS LE COIN, GARFIELD.
TOUT DE SUITE.
8-29
JIM DAVIS

NON... AUCUN OURS DANS LES PARAGES.
© 1989 United Feature Syndicate, Inc.

DES LOUPS, C'EST TOUT.

TIENS, ODIE... TU VEUX UN MORCEAU DE BROCHETTE ?
JIM DAVIS

SCHLP !
© 1989 United Feature Syndicate, Inc.

QUE JE DÉTESTE LE CAMPING !
8-30

BON... IL A PLU PENDANT DEUX SEMAINES, MAIS ON S'EST BIEN AMUSÉS, NON ?
JIM DAVIS 8-31

SCHPLOUF
© 1989 United Feature Syndicate, Inc.

D'ACCORD... J'AVAIS OUBLIÉ DE FERMER LA FENÊTRE !

VOUS SAVEZ À QUOI JE RÊVE, LES GARS ?

À UNE BONNE DOUCHE CHAUDE !
© 1989 United Feature Syndicate, Inc.
JIM DAVIS 9-1

À VUE DE NEZ, ÇA NE VOUS FERAIT PAS DE MAL NON PLUS !

C'ÉTAIT CHOUETTE, NON ?
JIM DAVIS

QU'EST-CE QUE J'AIMERAIS PASSER ENCORE UNE NUIT SOUS LES ÉTOILES !
ÇA PEUT S'ARRANGER
9-2
© 1989 United Feature Syndicate, Inc.

CLICK
BONNE NUIT !

21

GARFIELD, SI ON SE DÉBARRASSAIT DE TOUS CES PRODUITS PLEINS DE CHOLESTÉROL ?
BONNE IDÉE !
10-2

ZIP
© 1989 United Feature Syndicate, Inc.
JIM DAVIS

MAIS... TU AS VIDÉ LE FRIGO !
NE ME REMERCIE PAS, JON... C'EST MON SENS CIVIQUE QUI M'A PARLÉ.

Z

TU DORS ENCORE, GARFIELD ?
© 1989 United Feature Syndicate, Inc.

"TOUJOURS" TU VEUX DIRE.
JIM DAVIS
10-16

GARFIELD, AS-TU VU LA SOURICIÈRE ? J'AI MIS DU GRUYÈRE DEDANS...
NAN.
JIM DAVIS
10-17

© 1989 United Feature Syndicate, Inc.

«OOHH»
«ARRRGH»
«AIIEE»
«EURGH»

NOUS FAISONS UNE BONNE ÉQUIPE, JON ET MOI...
JIM DAVIS
10-18

IL AIME CUISINER, ET MOI, J'AIME MANGER...
22

GARFIELD, TU VEUX DU KETCHUP SUR TA TRANCHE DE CHAMEAU BOUILLI ?
NOUS FAISIONS UNE BONNE ÉQUIPE...
© 1989 United Feature Syndicate, Inc.

JON COMMENCE À M' INQUIÉTER
JIM DAVIS 10-3

IL SE SENT TELLEMENT SEUL QU'IL PARLE À N'IMPORTE QUI ...

MÊME À UN RÉPONDEUR!
TU SAIS, TON BIP SONORE EST RAVISSANT!

GARFIELD
JIM DAVIS 10-19

SPLACH!
GARFIELD

GARFIELD, J'AI MIS ...
DE L'EAU DANS MA GAMELLE À PÂTÉE ... JE SAIS.
GARFIELD

J'AI L'IMPRESSION D'ÊTRE UNE PETITE CHOSE INSIGNIFIANTE QUAND JE VOIS UN CIEL COMME ÇA.

JIM DAVIS 10-20
ET TOI, GARFIELD?
OUI ... MOI AUSSI ...

J'AI L'IMPRESSION QUE TU ES UNE PETITE CHOSE INSIGNIFIANTE.

BONJOUR ... ICI LE PALAIS DES PIZZAS ...

NOUS AVONS DES PIZZAS MARGHARITA, DES PIZZAS QUATRE SAISONS, DES PIZZAS REINE, DES LASAGNES ...
ALLÔ, IL Y A QUELQU'UN?
CLICK.

J'ADORE GARDER LE CONTACT AVEC CEUX QUE J'AIME.
JIM DAVIS 10-21

AUCUN PROBLÈME... J'AI CALCULÉ JUSQU'AU DERNIER CENTIMÈTRE.

LA LAISSE MESURE 8M.30
© 1989 United Feature Syndicate, Inc.

OUI, MAIS... LES BRAS 85 CM !

GARFIELD, TU TE RENDS COMPTE... SANS MOI, TU SERAIS EN TRAIN D'ERRER DANS LA RUE.
GRAT GRAT GRAT

QU'EST-CE QUE JE TE GÂTE !
MERCI, JON.
GRAT GRAT GRAT
© 1989 United Feature Syndicate, Inc.

ALLEZ... GRATTE-MOI LE DOS, VEUX-TU ?

TRENTE JOURS DANS LE DÉSERT BRÛLANT, SANS EAU NI NOURRITURE ! JE N'EN PEUX PLUS... C'EST LA FIN, LES MECS !
GARFIELD

GASP... ADIEU !
SPLOT !
© 1989 United Feature Syndicate, Inc.

GARFIELD, QU'EST-CE QUE TU FAIS ?
DU CAFÉ-THÉÂTRE.

À PART LES LASAGNES, QU'EST-CE QUI ME FAIT LE PLUS GRAND PLAISIR ?
GARFIELD

GULP !
© 1989 United Feature Syndicate, Inc.

VASTE PROBLÈME !
GARFIELD

GARFIELD, ON VA À LA FERME AUJOURD'HUI !
YOUPI, YOUPI, YOUPI !

HIP, HIP, HIP, HOURRAH !
© 1989 United Feature Syndicate. Inc.

ARRÊTE, VEUX-TU ?
J'PEUX PAS... JE DÉBORDE DE JOIE !
JIM DAVIS 11-6

IL Y A TELLEMENT DE BONNES CHOSES À FAIRE À LA FERME !

OUAIP.
© 1989 United Feature Syndicate. Inc.
JIM DAVIS 11-7

MANGER ET PARTIR, PAR EXEMPLE.

ON S'ENNUIE À MOURIR À LA FERME.

'Y A PEUT-ÊTRE QUELQUE CHOSE D'INTÉRESSANT LÀ-DEDANS...
© 1989 United Feature Syndicate. Inc.

AIIYYYEEEEEEE
SPLOOSH!
JIM DAVIS 11-8

VIENS, GARFIELD... PAPA NOUS AMÈNE EN VILLE POUR VOIR LE NOUVEAU FEU TRICOLORE...

J'AI EU ASSEZ DE SENSATIONS FORTES POUR LA JOURNÉE, MERCI...
© 1989 United Feature Syndicate. Inc.

... AVEC MA TOURNÉE DES INSTALLATIONS SANITAIRES DE CE MATIN.
JIM DAVIS 11-9

MAMAN! IL Y A UNE SOURIS BLANCHE DANS MA CHAMBRE!

© 1989 United Feature Syndicate, Inc.
P'PA! DOC! VENEZ VITE!

ELLE EST BIEN BLANCHE!
ELLES SONT TRÈS RARES
JE VAIS LEUR ACHETER UNE TÉLÉ.
C'EST PEUT-ÊTRE UNE SOURIS ALBINOS!
11-10
JIM DAVIS

MERCI, M'MAN... C'ÉTAIT SUPER...
JE VOUS AI PRÉPARÉ QUELQUES BRICOLES...

© 1989 United Feature Syndicate, Inc.
BEN... JUSTE UN PEU DE...
P'PA!

ALLEZ, DOC... JE PENSE QUE LE DEMI-BOEUF RENTRERA DANS LE COFFRE!
JIM DAVIS 11-11

PAS VRAI... JE DORS DEBOUT!
Z
© 1989 United Feature Syndicate, Inc.

AH!
Z

POP!

ÇA VA MIEUX.
11-13
JIM DAVIS

BEUH

© 1989 United Feature Syndicate, Inc.
QUOI?
BEUH
10-30

AH... D'ACCORD
C'EST PAS LE FILM D'HORREUR LE PLUS TERRIFIANT QUE J'AI VU DE MA VIE.
JIM DAVIS

REGARDE, JON... J'ARRIVE À M'AUTO-HYPNOTISER !

J'AI SOMMEIL ! TRÈÈÈS SOMMEI...
© 1989 United Feature Syndicate, Inc.

GARFIELD, FAISEUR DE MIRACLES !
Z
10-31
JIM DAVIS

© 1989 United Feature Syndicate, Inc.

À TOI !
KICK !
CRASH !
JIM DAVIS 11-14

LES CHIENS ADORENT JOUER À CHAT !

BURRRRRR
JIM DAVIS 11-16

RRRRRRRRRP !
CLICK !
© 1989 United Feature Syndicate, Inc.

T'ES VRAIMENT DÉGOÛTANT.
43 SECONDES ! RECORD BATTU !

BONJOUR, LES ENFANTS ! VOUS VOULEZ VOIR LA DANSE DE BÉCASSINE ?

BON, ALORS... RENTREZ CHEZ VOUS ! ET NE COMPTEZ PAS SUR MOI POUR RECOMMENCER !
© 1989 United Feature Syndicate, Inc.
JIM DAVIS 11-17

J'AURAIS DÛ ÊTRE ACTRICE, MOI ! TROP PETITE, ILS M'ONT DIT...
TROISIÈME FOIS CETTE SEMAINE QU'ELLE CRAQUE !

AHA... VOICI MON PREMIER CAFÉ DE LA JOURNÉE.

ET MON PREMIER BEIGNET DE LA JOURNÉE.
© 1989 United Feature Syndicate, Inc.
JIM DAVIS 11-29

HÉ, OÙ EST PASSÉ MON PETIT DÉJ'?
ET MA PREMIÈRE FARCE DE LA JOURNÉE !

BAIIILLE

UN BON PETIT SOMME...
© 1989 United Feature Syndicate, Inc.

UN TANTINET LONG PEUT-ÊTRE.
JIM DAVIS 11-18

© 1989 United Feature Syndicate, Inc.

CLOMP!

JIM DAVIS
11-20

28

JIM DAVIS 11-21

© 1989 United Feature Syndicate, Inc.
WHOCK!

JIM DAVIS

YEEEA!
11-22

JIM DAVIS

WHOMP!

YEEEEA!
11-23

JIM DAVIS 11-24

FWIP FWIP FWIP

YEEEK!

29

ALLEZ, L'ARAIGNÉE... DESCEND!

ALLEZ, ALLEZ, ALLEZ...

TU AIMES LE LAIT CHOCOLATÉ ?
JIM DAVIS 11-25

QUOI DE NEUF, GARFIELD ?
1-4-90

BEN, IL Y A KING KONG SUR LE TOIT EN TRAIN D'ABATTRE DES AVIONS, LE MONDE EST ENVAHI PAR DES EXTRA-TERRESTRES DÉVOREURS DE CERVEAUX...
© 1989 United Feature Syndicate, Inc.

MAIS PLUS DRAMATIQUE ENCORE, J'AI LA DALLE.
GARFIELD
JIM DAVIS

TU NE FINIS PAS TES CORN FLAKES ?
1-5-90

GARFIELD, TU VIENS D'AVALER DOUZE BEIGNETS, SIX CRÊPES, UN KILO DE JAMBON ET UN LITRE DE LAIT.
© 1989 United Feature Syndicate, Inc.

OUI... ET ALORS ?
JIM DAVIS

REGARDE MA GAMELLE EST PROPRE !
GARFIELD
JIM DAVIS

J'AI MANGÉ TOUT MON DÎNER. T'ES PAS FIER DE MOI ?
GARFIELD
© 1989 United Feature Syndicate, Inc.

ET LE FAIT QUE J'AI AUSSI AVALÉ LE TIEN NE T'IMPRESSIONNE PAS NON PLUS ?
GARFIELD
1-6-90

BAILLE
JIM DAVIS
11-27

AÏE !
© 1989 United Feature Syndicate, Inc.
30

ÇA S'APPELLE "LE SYNDROME DU LINOLÉUM".

YOUPI ! AU LIT !
JIM DAVIS

CRACK !
© 1990 United Feature Syndicate, Inc.

YOUPI ! AU RÉGIME !
ZUT
1-8

JE T'AI TROUVÉ UN NOUVEAU RÉGIME !
SNIF SNIF

VOILÀ !
J'EN BAVE !
© 1990 United Feature Syndicate, Inc.
JIM DAVIS

AH NON... N'Y TOUCHE PAS !
C'EST PAS VRAI... LE RÉGIME ARÔME !
1-9

1-10

© 1990 United Feature Syndicate, Inc.

ALORS, CE RÉGIME ?
ON FAIT AVEC.
JIM DAVIS

POUR TON RÉGIME IL FAUT QUE TU BOIVES 12 VERRES D'EAU PAR JOUR.
D'AC.
1-11

GARFIELD !
© 1990 United Feature Syndicate, Inc.
31

QUE FAIT CETTE PIZZA DANS TON VERRE ?
PIZZA ?! JE ME DISAIS BIEN QUE L'EAU ÉTAIT UN PEU TROUBLE.
JIM DAVIS

JE HAIS LES RÉGIMES.
JIM DAVIS

VOILÀ TON CHOU ROUGE BOUILLI, GARFIELD.
RFIELD
© 1990 United Feature Syndicate, Inc.

JE N'EN PEUX PLUS.
GARFIELD
1-12

DIS-DONC, MEC... JE SUIS UN PÈSE-PERSONNE, MOI...
1-13

... PAS UN PÈSE-BÉTAIL !
JIM DAVIS
© 1990 United Feature Syndicate, Inc.

EEERRRRRRGGGGG!

J'AI DESSINÉ DES YEUX SUR MES PAUPIÈRES.
1-15

"POURQUOI ?" VOUS DEMANDEZ-VOUS.
© 1990 United Feature Syndicate, Inc.

... PUIS UN JOUR, QUAND J'AVAIS TROIS ANS, MAMAN EST ENTRÉE DANS LE POULAILLER ET ELLE M'A DIT "JON, JON... OÙ SONT..."
Z
JIM DAVIS

QU'EST-CE QUE J'AI BIEN DORMI !
GRAT
GRAT
1-16

STRETCH
© 1990 United Feature Syndicate, Inc.
32

JIM DAVIS

© 1990 United Feature Syndicate, Inc.

J'AI DES POILS DANS LES OREILLES !
T'INQUIÈTE PAS, T'ES PAS LE SEUL.
1-17

Z

© 1990 United Feature Syndicate, Inc.
WHIRRRRRRRR

GARFIELD, T'AS PAS VU MON TAILLE-CRAYON ?
1-18

LA VIE À LA FERME, C'ÉTAIT CHOUETTE, GARFIELD...
C'EST REPARTI.

LA BRISE D'ÉTÉ QUI FAISAIT DANSER LE BLÉ DANS LES CHAMPS...
© 1990 United Feature Syndicate, Inc.

PUIS VINRENT LES SAUTERELLES...
OUF... ÇA SE TERMINE BIEN.
1-19

TIC TOC TIC TOC TIC TOC TIC
CE TIC-TOC ME REND FOU.

SCHLOCK SCHLOCK SCHLOCK
© 1990 United Feature Syndicate, Inc.

TOC TIC TOC TIC TOC TIC
1-22

LAISSE TOMBER, GARFIELD.
ALLEZ, JON...

VA VOIR AILLEURS !
S'IL TE PLAÎT...

JE NE TE GRATTERAI PAS LES PIEDS !
SOUS LES BRAS ALORS !

RIDICULE ! JON PENSE QU'IL VA ME PIÉGER AVEC UN CROQUE-MONSIEUR POUR M'EMMENER CHEZ LE VÉTÉRINAIRE !

IL ME PREND VRAIMENT POUR UN STUPIDE MORFAL !

HÉ... OÙ EST LE JAMBON ?

T'AURAIS PAS PRIS QUELQUES KILOS, GARFIELD ?

MAIS PAS DU TOUT, VOYONS !

À PROPOS, TON PLATEAU TÉLÉ EST POSÉ SUR MON ESTOMAC.

AH, LE VOILÀ !

ON DIT QUE LES RAYURES VERTICALES AFFINENT LA LIGNE.

OU VOUS TRANSFORMENT EN PASTÈQUE !

1-25

HA HA ! J'AI GAGNÉ !!
© 1990 United Feature Syndicate, Inc.

EUH, GARFIELD... VEUX-TU ENLÉVER TES GRIFFES DE MA MAIN ?
DONNE-MOI UNE BONNE RAISON !
JIM DAVIS

VOTRE DÎNER, SIRE.
RFIELD
1-26

IL COMMENCE À PIGER LE TRUC !
RFIELD
© 1990 United Feature Syndicate, Inc.

C'ÉTAIT IRONIQUE.
NE GÂCHE PAS TOUT, JON !
JIM DAVIS

PATÉE POUR CHAT
GARFIEL
JIM DAVIS

PATÉE POUR CHAT
© 1990 United Feature Syndicate, Inc.

T'AS TROUVÉ UNE GAMELLE, GARFIELD ?
NON, C'EST TA VIEILLE PISCINE.
GARFIELD
1-27

JIM DAVIS

TIENS, JON... C'EST POUR TOI.
© 1990 United Feature Syndicate, Inc.
1-23
35

OÙ AS-TU TROUVÉ ÇA ?

JE SUIS TROP GROS ...

© 1990 United Feature Syndicate, Inc.

MAINTENANT, JE SUIS TROP GRAND.
JIM DAVIS
2-1

VOILÀ UNE BONNE IDÉE !

JE NE ME SUIS JAMAIS TROUVÉ AUSSI MINCE !
© 1990 United Feature Syndicate, Inc.

JIM DAVIS
2-2

CE FAUTEUIL À BASCULE VA PEUT-ÊTRE M'APLATIR LE VENTRE...
2-3
JIM DAVIS

DIS-DONC... ÇA MARCHE !
© 1990 United Feature Syndicate, Inc.

ADIEU LE RÉGIME !

JON, J'AI UNE BONNE NOUVELLE ET UNE MAUVAISE.

LA MAUVAISE, C'EST QU'ODIE S'EST COINCÉ LE MUSEAU DANS L'ASPIRATEUR.

LA BONNE, C'EST QUE NOUS POUVONS DIRE ADIEU AUX FOURMIS.
© 1990 United Feature Syndicate, Inc.
JIM DAVIS 1-24

OUAAAH !
JIM DAVIS 2-5

QUELLE HEURE PEUT-IL ÊTRE ?
© 1990 United Feature Syndicate, Inc.

VOYONS... LA GRANDE AIGUILLE SE TROUVE PAR TERRE ET LA PETITE EST SOUS LE CANAPÉ DANS LA SALLE DE SÉJOUR, ALORS...

JE PENSE QUE ÇA VA TE PLAIRE, GARFIELD.
ON VERRA BIEN.
JIM DAVIS

UN COUCHER DE SOLEIL...
2-6
© 1990 United Feature Syndicate, Inc.

ET UN GÂTEAU.
DANS LE MILLE !

© 1990 United Feature Syndicate, Inc.
IL VOUS EST PEUT-ÊTRE DÉJÀ ARRIVÉ DE PASSER UNE TRÈS MAUVAISE NUIT ?
2-7 JIM DAVIS

JON AUSSI !

REGARDE, GARFIELD... UN LION !
MON GRAND-ONCLE ÉTAIT UN LION.
© 1990 United Feature Syndicate, Inc.

LE ROI DE LA JUNGLE !
ENFIN... LE PRINCE, AU MOINS.

UN CHASSEUR ÉMÉRITE...
NON... ON NE PARLE PAS DU MÊME.
JIM DAVIS 2-8

GARFIELD, IL Y AVAIT UN PLAT DE LASAGNES... LÀ !

OÙ SONT-ELLES PASSÉES ?
ELLES SE REPOSENT CONFORTABLEMENT.

ET LE PLAT ?
IL SE REPOSE MOINS CONFORTABLEMENT.
JIM DAVIS
2-9

GARFIELD, JE T'AI DÉJÀ INTERDIT DE GRIMPER AUX RIDEAUX.
JIM DAVIS

JE NE GRIMPE PAS AUX RIDEAUX.

T'AS JAMAIS ENTENDU PARLER DE L'ÉLECTRICITÉ STATIQUE ?
2-10

BON... PILE, JE REGARDE LA TÉLÉVISION... FACE, JE RESTE AU LIT.
TING!
JIM DAVIS

VEUX-TU ZAPPER, S'IL TE PLAÎT !
2-12

J'AI CASSÉ TON LIT, GARFIELD... JE LE RÉPARERAI DEMAIN.
JIM DAVIS
8-10

JE VAIS LE RÉPARER AUJOURD'HUI !
'Y A PAS LE FEU...

GARFIELD, TU N'AS AUCUNE AUTODISCIPLINE.
PENSES-TU... REGARDE !

COUCHÉ ! COUCHÉ !
VAS-Y !
WHOP !
© 1989 United Feature Syndicate, Inc.

LAMENTABLE !
C'EST ÇA ... DORS, MON CHATON... DORS !
Z
JIM DAVIS
11-28

DIS-DONC, T'AS L'AIR D'ÊTRE DE BON POIL, CE MATIN !
JIM DAVIS
11-30

JE FAIS UN RÉEL EFFORT.
© 1989 United Feature Syndicate, Inc.

JE ME SUIS NOUÉ LES OREILLES DERRIÈRE LA TÊTE.

LA DERNIÈRE BOULE DE GLACE EST POUR MOI, GARFIELD.
D'AC.
JIM DAVIS
12-1

C'EST **MOI** QUI VAIS LA MANGER, PAS **TOI**.
O.K.
© 1989 United Feature Syndicate, Inc.

JE L'AI REMPLACÉE PAR UNE MOTTE DE SAINDOUX.

CECI EST UN COLLIER ANTI-PUCES, GARFIELD.

TU SAIS À QUOI ÇA SERT, GARFIELD.
© 1989 United Feature Syndicate, Inc.
39

T'AS PAS UNE MEILLEURE IDÉE ?
JIM DAVIS
12-2

5-4-3-2-1...
12-4

ARRRGH!
© 1989 United Feature Syndicate, Inc.

ÇA NE RATE JAMAIS, LE COUP DES "POILS-DU-CHAT-DANS-LA-BROSSE-À-DENTS".
JIM DAVIS

TU NE VOIS RIEN DE CHANGÉ, GARFIELD ?
HMMMM ?

SERAIT-CE CE MASQUE DE CLOWN QUE JE T'AI MIS PENDANT QUE TU DORMAIS ?
© 1989 United Feature Syndicate, Inc.

J'AI UNE NOUVELLE CHEMISE !
JE NE SUIS PAS OBSERVATEUR POUR DEUX SOUS !
JIM DAVIS
12-5

TIENS ! C'EST ENCORE VIDE !

GARFIELD, T'AS ENCORE EMBÊTÉ LE FACTEUR ?
DU CALME...
© 1989 United Feature Syndicate, Inc.
JIM DAVIS 12-6

IL REVIENDRA CHERCHER SON PANTALON.
QUEL ANIMAL !

GARFIELD, T'AS VU MA CRAVATE RAYÉE ? JE NE LA TROUVE NULLE PART !

TANT PIS ! JE METTRAI CELLE À POIS À LA PLACE
© 1989 United Feature Syndicate, Inc.
JIM DAVIS 12-7

40

♪
VOILÀ ! TIMBRE DEVANT ET DERRIÈRE.

J'AIDE JON À FAIRE LE MÉNAGE.

VOILÀ, JON... JE ME SUIS OCCUPÉ DE LA BOÎTE À BONBONS...

MAINTENANT, ALLONS VOIR SI LA BOÎTE À GÂTEAUX A BESOIN D'ÊTRE NETTOYÉE.
JIM DAVIS 2-13

2-14 JIM DAVIS

JE ME DEMANDE COMMENT TU ARRIVES À TE DÉTENDRE COMME ÇA, GARFIELD.

FAIRE UN FAUX MOUVEMENT LORSQU'ON SE TROUVE EN ÉQUILIBRE SUR UN LUSTRE, ÇA AIDE !

JIM DAVIS 2-15

DIS-MOI SI JE TE DÉRANGE...

JE PEUX TE COUPER UNE MÈCHE DE CHEVEUX ?

SNIP!

JE LA CONSERVERAI PRÉCIEUSEMENT POUR ME RAPPELER COMBIEN TU AS L'AIR STUPIDE.
2-16 JIM DAVIS

QU'EST-CE QUE VOUS VOULEZ FAIRE AUJOURD'HUI ?

VOUS VOULEZ DÉCORER LE SAPIN ?
TIENS... POURQUOI PAS !

ME VOILÀ... JE L'AI, MAIS ON NE MET PAS DE CADEAUX SOUS LE SAPIN AVANT QU'IL NE SOIT DÉCORÉ !

WHOOSH

RATÉ
UN PEU PLUS À DROITE, ODIE... ET DÉPÊCHE-TOI !

JON VA METTRE MON CADEAU LÀ ! IL VA ÊTRE GRAND, ET CHER, ET... ET...

HMM... GRAND...

IL VA ÊTRE GRAND ET...

JE NE T'AI PAS ENCORE ACHETÉ UN CADEAU DE NOËL, GARFIELD.
ALORS COMMENT VEUX-TU QUE JE DÉCOUVRE OÙ TU L'AS CACHÉ ?

JIM DAVIS 12-15

HA, HA !!
SWIPE
RIP
© 1989 United Feature Syndicate, Inc.

JE N'AI TOUJOURS PAS ACHETÉ TON CADEAU, GARFIELD.
IL ME LE DIT MAINTENANT !

QU'EST-CE QUE J'AIME NOËL !

J'SUIS PEUT-ÊTRE UN VIEUX SENTIMENTAL...
JIM DAVIS 12-16
© 1989 United Feature Syndicate, Inc.

MAIS J'AI LE COEUR QUI SE REMPLIT DE GOURMANDISE !

ÇA Y EST, GARFIELD... J'AI FINALEMENT ACHETÉ TON CADEAU.

TOUTEFOIS, JE L'AI CACHÉ...
© 1989 United Feature Syndicate, Inc.

DANS UN ENDROIT SÛR.
JIM DAVIS 12-18

JIM DAVIS 12-19

© 1989 United Feature Syndicate, Inc
43

IL NE DEVINERA JAMAIS OÙ J'AI CACHÉ SON CADEAU DE NOËL.

ODIE, T'ES UN CHIEN, NON ? ALORS, TROUVE MON CADEAU !
OUAF!

QUEL FLAIR !
SNIFF SNIFF SNIFF SNIFF SNIFF SNIFF
© 1989 United Feature Syndicate, Inc
12-21
JIM DAVIS

NON, ODIE... NON !

12-22

TU NE CHAUFFES MÊME PAS, GARFIELD.
© 1989 United Feature Syndicate, Inc.

'Y'A PAS À DIRE... IL SAIT CACHER UN CADEAU !
JIM DAVIS

JE DONNE MA LANGUE AU CHAT.

JE L'AI CHERCHÉ PARTOUT...
© 1989 United Feature Syndicate, Inc.

IN-TROU-VA-BLE !
JIM DAVIS
12-23

J'ADORE NOËL... LA FAMILLE, LES SOUVENIRS DU BON VIEUX TEMPS... JE ME PASSERAIS BIEN DU RÉVEILLON DU NOUVEL AN !
JIM DAVIS
12-26

BOOGIE WOOGIE BOOGIE !!!
© 1989 United Feature Syndicate, Inc.
44

IL Y EN A QUI SONT MOINS NOSTALGIQUES !

MA RÉSOLUTION POUR LA NOUVELLE ANNÉE, C'EST D'ÊTRE PLUS POLI AVEC LES CHIENS.
© 1989 United Feature Syndicate, Inc.

KICK!
CRASH!
12-28

EXCUSE-MOI!
JIM DAVIS

JE ME DEMANDE CE QUE ME RÉSERVE CETTE NOUVELLE ANNÉE...

JE VAIS PROBABLEMENT PASSER DOUZE MOIS À INSULTER ODIE, DANS UN ÉTAT COMATEUX AVEC LA PANSE BIEN REMPLIE, MAIS...
© 1989 United Feature Syndicate, Inc.

CE N'EST QU'UN PRESSENTIMENT.
JIM DAVIS
12-29

12-30

TÛÛT
SPOOT!
© 1989 United Feature Syndicate, Inc.
JIM DAVIS

QU'EST-CE QUE TU FABRIQUES?!
JE RÉPÈTE POUR DEMAIN SOIR.

ÇA Y EST... C'EST LE JOUR DE L'AN.
JIM DAVIS
1-1-90

FÊTONS ÇA À LA GARFIELD!
© 1989 United Feature Syndicate, Inc.
45

Z

PLOF!
1-2-90

GARFIELD... QU'EST-CE QUE ÇA VEUT DIRE ?
© 1989 United Feature Syndicate, Inc.

EUH... "GARFIELD FAIT BOULE DE NEIGE", NON ?
JIM DAVIS

BIENVENUE À "INCROYABLE, MAIS VRAI"...
CE QUE VOUS ALLEZ VOIR EST ABSOLUMENT AUTHENTIQUE...
© 1989 United Feature Syndicate, Inc.

SAUF LES SÉQUENCES QU'ON A INVENTÉES POUR RENDRE L'ÉMIS-SION PLUS INTÉRESSANTE...
J'ADORE LA TÉLÉ.
JIM DAVIS 1-3-90

JE HAIS LES LUNDIS...

IL FAIT MOCHE... IL PLEUT...
© 1989 United Feature Syndicate, Inc.

EST-CE QU'IL PEUT ARRIVER QUELQUE CHOSE DE PIRE ?
LES FLICS SONT EN TRAIN D'ENLEVER TA VOITURE...
JIM DAVIS
9-11

VAIS-JE ÊTRE MÉCHANT OU FAINÉANT AUJOUR-D'HUI ?

QUELQUE CHOSE ENTRE LES DEUX, PEUT-ÊTRE...
© 1989 United Feature Syndicate, Inc.

JE VAIS RESTER LÀ ET MORDRE TOUS CEUX QUI TRÉBUCHERONT SUR MA QUEUE !
JIM DAVIS
9-12

46